Enid Blyton

Byd y
GOEDEN FFWRDD-Â-NI

Gwlad y
Dymuniadau

atebol

Neges gan Sidan a Lloerwyn

Doedd y plant ddim wedi bod i'r Goedwig Hud ers wythnos gyfan. Roedd pawb wedi bod yn **brysur** yn helpu Mam a Dad, ac a dweud y gwir, roedd y plant yn flinedig ar ôl yr holl anturiaethau diweddar.

Yna daeth nodyn gan Sidan a Lloerwyn.
Dyma roedd o'n ei ddweud:

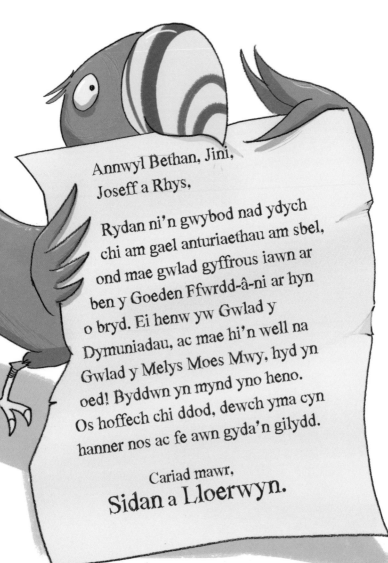

Annwyl Bethan, Jini,
Joseff a Rhys,

Rydan ni'n gwybod nad ydych
chi am gael anturiaethau am sbel,
ond mae gwlad gyffrous iawn ar
ben y Goeden Ffwrdd-â-ni ar hyn
o bryd. Ei henw yw Gwlad y
Dymuniadau, ac mae hi'n well na
Gwlad y Melys Moes Mwy, hyd yn
oed! Byddwn yn mynd yno heno.
Os hoffech chi ddod, dewch yma cyn
hanner nos ac fe awn gyda'n gilydd.

Cariad mawr,
Sidan a Lloerwyn.

Darllenodd y plant y nodyn yn eu tro. Goleuodd eu llygaid.

'Gawn ni fynd yno?' gofynnodd Jini.

'Gwell i ni beidio,' atebodd Joseff. 'Mae pethau gwirion yn siŵr o ddigwydd i ni.'

'O Joseff, be am fynd?' meddai
Bethan. 'Mae'r Goedwig Hud mor gyffrous
yn y nos, a'r tylwyth teg i gyd yno – a
lampau tlws dros frigau'r Goeden Ffwrdd-
â-ni. Tyrd, Joseff! Awn ni!'

'Dwi ddim yn meddwl ei fod o'n
syniad da,' meddai Joseff.
'Be os bydd Rhys yn
gwneud rhywbeth dwl
eto?'

4

'Wna i **ddim!**' atebodd Rhys yn flin. 'Ac mae hynny'n beth cas i'w ddweud!'

'Peidiwch â ffraeo,' meddai Bethan. 'Os nad wyt ti am ddod, Joseff, mi a' i a Jini gyda Rhys. Mae o'n siŵr o ofalu amdanon ni.'

'Hy! Chi fydd yn edrych ar ôl Rhys, siŵr!' Tynnodd Rhys ei dafod ar Joseff, a thynnodd Joseff ei dafod yn ôl.

'Peidiwch wir!' dwrdiodd Bethan. 'Dydyn ni ddim am i'ch wynebau aros fel 'na!' Chwarddodd pawb.

'Sorri, Joseff,' meddai Rhys. 'Dydw i ddim am ffraeo. Tyrd gyda ni heno! Awn ni i'r goeden i glywed be mae Sidan a Lloerwyn yn ei ddweud am y wlad. Os ydy o'n swnio'n beryglus, wnawn ni ddim mynd. Iawn?'

'Iawn,' cytunodd Joseff, oedd eisiau mynd yno gymaint â'r lleill ond roedd yn ceisio bod yn ddoeth. 'Ond cofiwch – dim cwyno os ydw i'n penderfynu peidio mynd.'

'Cris croes tân poeth,' addawodd Bethan.

Felly trefnwyd bod pawb i fynd i'r Goedwig Hud y noson honno, a dringo'r Goeden Ffwrdd-â-ni i weld eu ffrindiau.

I'r Goedwig Hud

Am deimlad cyffrous oedd codi o'r gwely a gwisgo, a hithau'n hanner awr wedi un ar ddeg! Roedd hi'n dywyll iawn, a'r lleuad yn cuddio y tu ôl i'r cymylau.

'Bydd rhaid i ni fynd â fflachlamp,' meddai Joseff. '**Pawb yn barod**? Cofiwch gadw'n dawel, rhag ofn i ni ddeffro Mam a Dad.'

Sleifiodd pawb i lawr y grisiau, ac allan i'r ardd dywyll, dawel.

Hwtiodd tylluan mewn coeden, a brysiodd rhyw greadur i lawr llwybr yr ardd. Bu bron i Bethan sgrechian!

'Sh! Dim ond llygoden sy 'na,' meddai
Joseff. 'Mi wna i gynnau'r fflachlamp nawr.
Pawb i aros yn agos ata i, a dilynwch
olau'r fflachlamp.'

I ffwrdd â nhw drwy'r ardd gefn ac ar
hyd y lôn fach. Edrychai'r Goedwig Hud
yn enfawr ac yn dywyll o'u blaenau.
Sibrydai'r coed wrth ei gilydd.

'Wisha-wisha-wisha,' meddai'r
coed. 'Wisha-wisha-wisha!'

Llamodd y plant dros y ffos ac ar hyd y llwybrau cyfarwydd drwy'r coed. Roedd y goedwig yn llawn tylwyth teg yn crwydro yma ac acw.

Chymerodd neb unrhyw sylw o'r plant. Diffoddodd Joseff y fflachlamp gan fod lampau hardd yn goleuo'r goedwig.

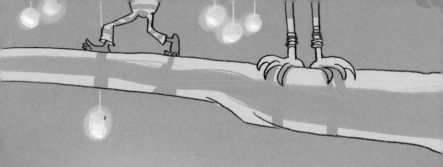

Cyn bo hir, cyrhaeddon nhw foncyff
trwchus y Goeden Ffwrdd-â-ni. Roedd rhaff
hir yn hongian o'r brigau uchaf at waelod y
goeden fawr.

'Da iawn!' meddai Rhys. 'Ydi Lloerwyn
yn mynd i'n tynnu ni i fyny?'

'Nac ydi,' atebodd Joseff. 'Bydd rhaid i ni
ddringo – ond fe gawn ni ddefnyddio'r rhaff.
Mae hi yno er mwyn helpu pobl i ddringo i
fyny ac i lawr y goeden yn y tywyllwch.'

Byddai llawer o fynd a dod ar y Goeden
Ffwrdd-â-ni yn y nos. Y noson honno,
cerddai corachod, picsis a choblynnod i
fyny ac i lawr y goeden, yn sgwrsio ac yn
chwerthin.

'I ble maen nhw'n mynd?' holodd Rhys mewn syndod.

'O, mynd i Wlad y Dymuniadau, mae'n siŵr,' atebodd Joseff. 'Ac ambell un yn ymweld â'i ffrindiau yn y goeden. Edrychwch! Mae Picsi Blin yn cael parti!'

Roedd criw o ffrindiau bach wedi'u gwasgu i mewn i stafell goeden Picsi Blin, ac roedd o'n edrych yn hapus iawn.

'Dewch i'r parti!' galwodd ar y plant.

'Fedrwn ni ddim,' atebodd Joseff, 'ond diolch am y gwahoddiad. Rydan ni'n mynd i weld Lloerwyn.'

Bu'n rhaid iddyn nhw osgoi'r
dŵr budr o dwba Gwladys Golch, a
chwarddodd y plant wrth basio
Betingalw, oedd yn chwyrnu'n
drwm yn ei gadair. O'r diwedd,
daeth y plant at dŷ Lloerwyn.

Doedd neb gartref! Roedd
nodyn ar y drws.

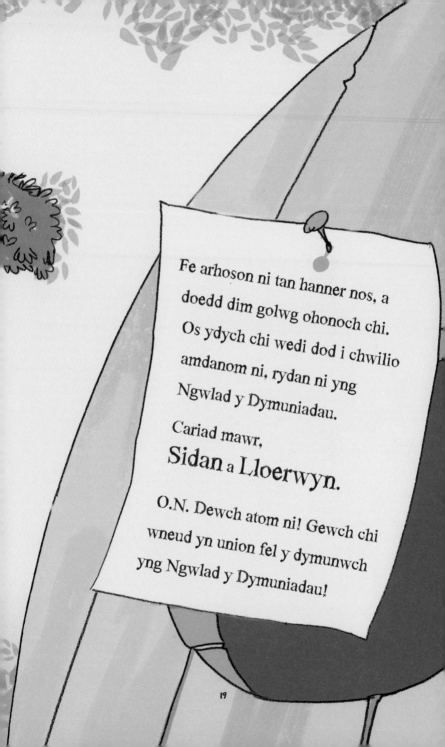

Fe arhoson ni tan hanner nos, a doedd dim golwg ohonoch chi. Os ydych chi wedi dod i chwilio amdanom ni, rydan ni yng Ngwlad y Dymuniadau.

Cariad mawr,

Sidan a Lloerwyn.

O.N. Dewch atom ni! Gewch chi wneud yn union fel y dymunwch yng Ngwlad y Dymuniadau!

19

'Bobl annwyl!' meddai Rhys. 'Hoffwn i gael chwe reid ddi-stop ar chwyrligwgan!'

'Hoffwn i fwyta chwe hufen iâ, un ar ôl y llall!' meddai Bethan.

'Hoffwn i reid ar gefn **eliffant,**' meddai Jini.

'O! Hoffwn i yrru trên,' meddai Joseff.

'Joseff! Rhaid i ni ddringo'r ysgol!' ymbiliodd Bethan. 'Plis, plis!'

'Mae'r wlad yma'n swnio'n gymaint o hwyl!' ychwanegodd Jini. 'Paid â bod yn gas, Joseff! Gawn ni fynd?'

'Wel ... iawn 'ta,' meddai Joseff. 'Dewch – i ffwrdd â ni!'

Gwlad y Dymuniadau

Dringodd y plant i fyny'r ysgol yn llawn cyffro. Roedd lamp ar ben yr ysgol i oleuo'r ffordd ond – ar fy ngwir – roedd hi'n olau dydd yn y wlad uwchben y cymylau!

Dyna oedd hud a lledrith!

Edrychodd y plant o'u cwmpas mewn syndod. Roedd y wlad yn llawn miri, fel ffair **enfawr.**

Troellai sawl chwyrligwgan i sŵn cerddoriaeth swynol, ac roedd yno siglenni a si-sos rif y gwlith.

24

Gwelodd y plant trên stêm yn **pwffian** yn fodlon. Gwibiai awyrennau bychain yn llawn corachod, picsis a thylwyth teg drwy'r awyr, a phawb wrth eu boddau.

'Am le cyffrous!' meddai Bethan. 'Tybed ble mae Lloerwyn a Sidan?'

'Dacw nhw, ar y chwyrligwgan yna!'
Pwyntiodd Joseff. 'Mae Sidan ar gefn
teigr, a Lloerwyn yn reidio jiráff!
Be am i ni gael tro?'

I ffwrdd â'r plant. Roedd Lloerwyn
a Sidan wrth eu boddau o'u gweld.
Stopiodd y chwyrligwgan i'r plant gael
tro.

Cwningen wen ddewisodd Bethan. Neidiodd
Jini ar gefn llew, a theimlo'n grand iawn.
Arth gafodd Joseff, a cheffyl oedd dewis Rhys.

'Dwi mor falch eich bod chi yma!' meddai
Sidan. 'Arhoson ni am hydoedd amdanoch chi.
O! Rydan ni'n symud! Daliwch yn dynn!'

Troellodd y chwyrligwgan rownd a rownd a
rownd. Roedd y plant yn gwichian gan gyffro
gan ei fod yn symud mor sydyn.

'Beth am gael chwe thro heb stopio?' gofynnodd Joseff. A dyna'n union wnaethon nhw – ac **wps!** – roedd pennau pawb yn troi pan ddaeth hi'n amser dod oddi ar y reid! Cerddai pawb yn igam-ogam ac yn simsan!

'Dwi'n teimlo fel eistedd i lawr ... gyda chwe hufen iâ!' meddai Bethan.

Ar unwaith, ymddangosodd dyn mewn fan hufen iâ, a rhoi tri deg chwech hufen iâ i'r ffrindiau. Ar ôl i Joseff eu rhannu, roedd gan bawb chwe hufen iâ yr un!

Am fwyd hyfryd! Bwytaodd pawb eu hufen iâ yn awchus.

'Beth am i mi gael gyrru'r trên yna nawr?' gofynnodd Joseff, gan godi ar ei draed. 'Dwi wedi bod eisiau gwneud hynny erioed! Cewch chi fod yn deithwyr. Dewch!'

Ac i ffwrdd â nhw i'r orsaf fach.

'Helô 'na!' meddai Joseff wrth y gyrrwr. 'Ga i yrru'r trên, os gwelwch yn dda?'

'Wrth gwrs!' atebodd y gyrrwr, gan neidio o'r cerbyd. 'Mae'n barod ar gyfer y daith!'

Joseff,
y Gyrrwr Trên

Neidiodd Joseff i mewn i'r trên. Trên stêm oedd o, felly roedd tân yn llosgi'n boeth yn yr injan.

Edrychodd ar yr holl olwynion a botymau.

'Sut fydda i'n gwybod p'run yw p'run?' gofynnodd i'r gyrrwr.

'Wel,' meddai'r gyrrwr, gan bwyntio at yr olwynion a'r liferau. 'Dyna'r olwyn danio, a dyna'r chwiban. Hwn sy'n arafu'r trên, a'r un yma sy'n gwneud iddo gyflymu. Mae'n hawdd! Wrth gwrs, bydd rhaid i ti stopio yn y gorsafoedd. O ia – cofia gadw llygad ar y giatiau croesi, rhag ofn bod ambell un ar gau. Mae'n rhaid bod yn ofalus wrth y rheiny.'

Roedd Joseff yn llawn cyffro.

Edrychodd Rhys ar Joseff yn obeithiol.
'Ga i ddod hefyd, Joseff?' holodd. 'Plis gad
i mi ddod! Dwi am dy wylio di wrthi!'

'Iawn,' meddai Joseff, felly i fyny â Rhys
at yr injan. Dringodd Bethan, Jini,
Lloerwyn a Sidan i un o'r cerbydau coch.

Rhedodd y gard wrth ochr y trên, yn
chwythu ei chwiban ac yn chwifio'i faner.

'Mae'n amser mynd!' gwaeddodd Rhys.
'I ffwrdd â ni, Joseff!'

Trodd Joseff yr olwyn danio.
Dechreuodd yr injan symud o'r orsaf gan
wneud sŵn **TSH-TSH-TSH**.

'Mae Joseff yn gyrru'r trên!' meddai
Bethan. 'Tydi o'n glyfar? Mae o wedi bod
yn breuddwydio am yrru trên ers
blynyddoedd!'

Roedd y trên yn symud yn gyflym – yn
rhy gyflym. Tynnodd Joseff y lifer, ac
arafodd y trên. Ond wnaeth Joseff ddim
sylwi ei fod ar fin cyrraedd yr orsaf,
a gwibiodd y trên heibio heb stopio!

'Joseff!' meddai Rhys. 'Rwyt ti wedi pasio'r orsaf! Ew, roedd golwg ddig ar y bobl oedd ar y platfform. O, edrycha! Roedd llawer o'r bobl ar y trên eisiau gadael yn yr orsaf yna hefyd!'

Yn wir, roedd llawer o bobl ddig yn galw drwy ffenestri'r trên ar Joseff i stopio.

Gwridodd Joseff. Tynnodd y lifer yn galed. Stopiodd y trên.

Yna, tynnodd Joseff lifer arall, a
symudodd y trên yn araf yn ôl i'r orsaf.
Ar ôl stopio, gwyliodd Rhys a Joseff y
teithwyr yn mynd a dod ar hyd y platfform
prysur.

Rhuthrodd y gard atynt.

'Hei, wnaethoch chi basio fy ngorsaf i heb stopio!' bloeddiodd yn ddig. 'Peidiwch â meiddio gwneud y ffasiwn beth eto!'

'Wnawn ni ddim!' atebodd Joseff. 'Reit – ymlaen â ni!'

Ac i ffwrdd â nhw.

'Cadwa olwg am orsafoedd, signalau, twneli a chroesfannau, Rhys,' meddai Joseff.

Rhoddodd Rhys ei ben allan o'r cerbyd ac edrych o'i flaen.

'Croesfan!' gwaeddodd. 'Mae'r giatiau ar gau – rhaid i ti arafu, Joseff!' Ond yn anffodus, tynnodd Joseff y lifer cyflymu yn lle'r un arafu, a llamodd y trên ymlaen ar wib.

Fel roedd y trên ar fin cyrraedd y giatiau,
tynnodd Joseff lifer y brêc.

Rhuthrodd dyn bach o'r cwt gerllaw
wrth i'r trên ddod i stop.

'Am yrrwr
ofnadwy wyt ti!'
bloeddiodd. 'Bu
bron iawn i ti
achosi damwain!'

'Mam bach, roedd hynny'n agos,'
ochneidiodd Joseff.

Ar ôl i'r giatiau gael eu hagor, aeth y trên
ymlaen ar ei daith.

'Beth sydd o'n blaenau ni?' gofynnodd
Joseff.

'Twnnel,' atebodd Rhys. 'Gwell i ti
chwibanu, rhag ofn bod rhywun yn dod.'
Felly canodd Joseff chwiban y trên yn uchel.

Am hwyl! Gwibiodd y trên drwy'r twnnel tywyll, ac roedd gorsaf ar yr ochr draw.

'Stop! Gorsaf, Joseff!' meddai Rhys. Stopiodd Joseff y trên. Yna, ymlaen â nhw, a'r trên yn chwibanu'n llawen ac yn rasio ar y traciau. Ond yna digwyddodd rhywbeth ofnadwy! Doedd y liferau STOP ac ARAFU ddim yn gweithio. Gwibiodd y trên ymlaen ac ymlaen, heibio

gorsafoedd
bach a mawr,
drwy dwneli a
signalau stopio.

Roedd y trên fel pe bai'n wyllt gacwn!

'Hei!' gwaeddodd Rhys mewn braw.

'Be sy'n bod, Joseff?'

Ond doedd gan Joseff ddim syniad.

Ymlaen ac ymlaen aeth y trên, a'r teithwyr

arno'n dechrau anesmwytho.

51

Yna, wrth i'r trên agosáu
at yr orsaf nesa,
ochneidiodd,
arafodd a stopiodd, fel petai
wedi blino'n lân!

Roedd wedi dychwelyd i'r
orsaf gyntaf un!

Reid ar Gefn Eliffant

Roedd gyrrwr y trên yn aros amdanynt.

'Yn ôl yn barod?' gofynnodd. 'Roeddech chi'n gyflym!'

'Mae arna i ofn fod yr injan wedi cambihafio, braidd,' esboniodd Joseff, gan gamu o'r trên yn ddiolchgar. 'Roedd o'n gwibio'n rhy gyflym ar y diwedd. Wnâi o ddim stopio o gwbl!'

'Eisiau dod yn ôl ata i oedd o,' esboniodd y gyrrwr, gan ddringo i'r injan. 'Mae o'n cambihafio weithiau. Pam na ddewch chi i'w yrru o gyda fi?'

'Dim diolch,' atebodd Joseff. 'Dwi wedi cael digon ar drenau am y tro. Ond ew, roedd o'n hwyl!'

Daeth Bethan, Jini, Lloerwyn a Sidan o'r cerbyd.

Roedd y pedwar wedi bod ag ofn ar ddiwedd y daith, ond cytunodd pawb fod Joseff yn glyfar iawn am yrru'r trên.

'Be nesaf?' holodd Lloerwyn, wedi iddyn nhw adael yr orsaf.

'Dwi eisiau cael reid ar gefn eliffant,' atebodd Jini'n bendant.

'Ond does 'na ddim
...' dechreuodd Bethan. Cyn iddi
orffen ei brawddeg, ymddangosodd chwe
eliffant mawr llwyd a cherdded tuag
atyn nhw, gan symud yn osgeiddig ac yn
araf.

'O, edrychwch!' gwichiodd Jini yn llawn
cyffro. 'Dacw fy eliffantod. Chwech
ohonyn nhw – un yr un i ni!'

Roedd ysgol raff ar
ochr bob eliffant,
a sedd fach ar
eu cefnau.

Dringodd Lloerwyn, Sidan a'r plant ar gefn
yr eliffantod ac eistedd yn y seddi cysurus.

Yna, dechreuodd yr eliffantod gerdded yn araf drwy dyrfa'r ffair. Roedd o'n hyfryd!

Roedd Jini wrth ei bodd. 'Roedd hwn yn syniad da, doedd? Rydan ni mor uchel! Ydych chi'n cael hwyl?' holodd Jini'n falch.

'Mae o'n wych!' atebodd Lloerwyn,
oedd heb weld eliffant o'r blaen, ac yn sicr
heb feddwl am reidio ar gefn un.

'O na!' meddai. 'Mae'r rhaff wedi llithro i ffwrdd! Sut ydw i am ddod i lawr? Bydd raid i fi aros ar gefn yr eliffant yma am byth.'

Chwarddodd pawb, ond roedd ofn go iawn ar Lloerwyn. Dringodd pawb i'r ddaear yn eu tro, ond eisteddodd Lloerwyn ar gefn ei eliffant, a golwg bryderus iawn ar ei wyneb.

'Wir i chi, dwi'n sownd!' llefodd eto.
'Fedra i ddim dod i lawr!'

Safodd yr eliffant yn amyneddgar am ychydig. Yna, chwifiodd ei **drwnc enfawr** a'i lapio'n dynn o gwmpas Lloerwyn, cyn ei gario'n ofalus i'r llawr. Wyddai Lloerwyn ddim beth i'w ddweud.

'Wnaeth yr eliffant yna ddefnyddio'i drwyn i 'nghario i i'r llawr?' gofynnodd mewn syndod.

'Defnyddio'i drwnc wnaeth o,' chwarddodd Joseff. 'Oeddet ti ddim yn gwybod bod gan eliffant drwnc, Lloerwyn?'

'Nac oeddwn,' atebodd Lloerwyn mewn penbleth. '**Dwi'n falch na ddaru** o '**ngwasgu i'n belen!**'

Chwarddodd y plant. Gwyliodd pawb wrth i'r eliffantod mawr ymlwybro yn ôl drwy'r dyrfa.

Pennod 6
Glan y Môr

'Beth wnawn ni nawr?' gofynnodd Joseff. 'Rhys, be wyt ti eisiau ei wneud?'

'Wel, mi wn i ei fod o'n amhosib, ond byddwn i wrth fy modd yn trochi 'nhraed yn y môr,' meddai Rhys.

'A **minnau!**' meddai Jini, oedd wrth ei bodd â'r syniad. 'Ond does dim môr yma.'

Wrth iddi ddweud hynny, sylwodd ar arwydd mawr yn pwyntio i'r pellter, yn dweud **GLAN Y MÔR**.

'Ew, dyna ryfedd!' meddai Jini. 'Dewch!', a rhedodd pawb i gyfeiriad y môr.

Ar ôl troi dwy gornel yn y llwybr, dyna
lle'r oedd y môr mawr glas, yn disgleirio'n
dlws yn yr heulwen! Torrai tonnau
bychain ar y tywod euraid.

'Bendigedig!' meddai Rhys wrth dynnu
ei sgidiau a'i sanau. 'Dilynwch fi!'

Cyn hir, roedd pawb yn trochi yn y dŵr
cynnes. Doedd Lloerwyn na Sidan wedi
trochi eu traed yn y môr o'r blaen, ond

roedd y ddau wrth eu boddau. Cerddodd
Rhys at ei ganol, a gwlychu ei ddillad.

'O, Rhys! Rwyt ti'n wlyb at dy groen!'
dwrdiodd Bethan. 'Tyrd yn ôl!'

'Gwlad y Dymuniadau ydy hon, ynte?'
gwaeddodd Rhys, gan sblasio yn y dŵr.
'Ac fe hoffwn i fod yn wlyb iawn, iawn!'

'Beth am godi castell tywod **enfawr**?' gofynnodd Lloerwyn. 'Yna, fe allwn ni eistedd ar ei ben pan ddaw'r llanw i mewn.'

'Allwn ni ddim,' meddai Sidan yn siomedig.

'Pam?' holodd Joseff. 'Dyma Wlad y Dymuniadau, wedi'r cyfan!'

'Ie,' meddai Sidan, 'ond mae'n bryd

dychwelyd i'r Goeden Ffwrdd-â-ni. Bydd y wlad hon yn symud cyn bo hir, ac er ei bod hi'n hyfryd, dydw i ddim am aros yma am byth.'

'Ew, na,' meddai Joseff. 'Beth am Mam a Dad? Rhys! Tyrd o'r dŵr! Mae'n amser mynd adref!'

Brysiodd Rhys yn ôl at y lan. Roedd ei ddillad yn wlyb diferu.

I ffwrdd â phawb i lawr y twll a thrwy'r
cwmwl, ac yn ôl i'r Goeden Ffwrdd-â-ni.
'Am le hyfryd oedd Gwlad y

Dymuniadau!' meddai Joseff, gan edrych i
fyny i gyfeiriad y cwmwl. 'Un o'r
gwledydd gorau i ddod i ben y goeden.'

Roedd pawb yn flinedig iawn wrth gyrraedd stafell fyw Lloerwyn. 'Peidiwch â syrthio i gysgu cyn cyrraedd adref,' meddai Lloerwyn. 'Ewch â gobennydd gyda chi i lawr y llithren lithrig.'

Llithrodd y plant i lawr y llithren, gan ddylyfu gên yn uchel. Ar ôl cyrraedd adref, aeth pawb yn syth i'w gwelyau a chysgu'n drwm.

Yn y bore, roedd Mam mewn penbleth.

'Rhys, pam mae dy ddillad di mor wlyb?'
'Dwi wedi bod yn trochi yn y môr,'
atebodd Rhys ... a chafodd ffrae ganddi am
ddweud celwydd!